Twal poems

duin ower intil Scots frae the German o Heinrich Heine

R. Crombie Saunders

and

Donald Goodbrand Saunders

TOMNAVOIL 2019

The poems *An Auld Sang's in my Thocht*,
I Dinna Haud Wi Heevin and *The Shilpit Mune
o Autumn* were published in *XXI POEMS*, by
R. Crombie Saunders (M. Macdonald, 1955).
These poems also appeared in the anthology
The New Makars (Mercat Press, 1991),
as did *The Hure and the Thief, The Eerant,
Frae Out My Sair Entire* and *The Firtree*.
Adam the Ferst and *The Gangrel Rottans*
appeared in *Lallans* (2005).

This edition published 2019
by Tomnavoil Press, Gartmore, Scotland
email: tomnavoil@outlook.com

TOMNAVOIL

These are not translations. Translation (*übersetzung*, owersettin) demands a depth of knowledge of language and context that neither I nor my late father could claim. Nor are they in any way a representative selection of Heine's diverse and wide-ranging output. Rather, they represent more or less unconnected instances where we felt a Scots poem could happen which was true to itself while resonating with the German source. Some hug close to the sound, form and meaning of the original, some take impertinent liberties. An orra handful, in short, and a modest homage to the great poet.

Donald G. Saunders

CONTENTS

AN AULD SANG'S IN MY THOCHT

An auld sang's in my thocht
   That tells o dule an skaith:
A thane wi luve's distraucht,
   Bot luve's forouten faith.

As trowless he maun lichtlie
   The dear luve o his hert,
As shamefou he maun richtlie
   Regard his ain luve-smert.

He fain wad front the field
   An caa them til the stour:
"Let him assay the shield
   Wad haud my luve a hure!"

Then brak the mensefou silence
   Anely his ane despair,
Then was his sword's keen violence
   His ain hert's adversare.

THE SHILPIT MUNE O AUTUMN

The shilpit mune o autumn
   Keeks wanly thro the mirk,
The manse stauns bien an doucelik
   In the yaird ablow the kirk.

The mither reads in her Bible,
   The lad at the lamplicht stares;
The alder dochter's dwynit,
   The yinger lass declares:

"Och, God, sae dowf an langsum
   The days gae by for me!
It's anely at a yirdin
   Hae we onything to see."

The mither looks frae her buik then:
   "Nae lass, bot fower hae deed
Sen your faither they hae yirdit
   Doun at the graifan-stede."

Then gantit the alder dochtir:
   "I'll no be stervit here;
The morn the laird'll hae me,
   He speird an has muckle gear."

The son brak out in lauchter:
   "There's a twa-three chiel at the inn
Can mak a hantle o siller
   An'll shaw me hou it's duin!"

The mither lat flee her Bible
    Straucht at his narra face:
"An wad ye be a reiver
    And bring us this damned disgrace?"

They hear a tap at the winnock,
    They see a beckonan wraith:
Outbye stauns their deid faither,
    Hapt in his black priest-claith.

I DINNA HAUD WI HEEVIN

I dinna haud wi heevin,
   By meenisters weel kent
Your een are aa the heevin
   That maks my firmament.

The God the parsons prate o—
   I ken he is a lee.
Your hert I haud my faith in
   And nae ither God can see.

I canna credit Satan
   Nor Hell wi aa its smert,
Anely your bricht een glentan
   And your cauld, black bitch's hert.

THE FIRTREE

A firtree stauns his lane
    On a dreich norlan scaur;
He dwynes in sleep, as winter
    Haps him in a plaid o haar.

He's dreaman o a palmtree
    Far in an eastrin airt,
Greinan alane and quait
    Attower the brennan scree.

DAITH IS THE CALLER NICHT

Daith is the caller nicht,
    Life is the dwauman day.
It derkens, and I dwine
    For daylicht's weariet me.

Abune my bed growes a tree
    Whaur chaunts a nichtigall.
Nocht bot of luve it sings
    And that ev'n inben my dreams.

FRAE OUT MY SAIR ENTIRE

Frae out my sair entire
 I mak smaa sangs.
They seek, wi soundan wings,
 My dear desire.

They've socht an fund her hairt
 O luve, bot still
Come grietan back, nor tell
 What they've seen there.

CHILDE HAROLD

The mirk, fell boat
   Gaes waesome alang.
Intil her, silent and dern,
   The murners sit.

The deid bard sae still liggs,
   His brou bare,
His twa blue een turned still
   Tae the heevins' gaze.

Anerlie the watters souch
   Lik a selkie's mane,
And lik a coronach
   Braks the wave on the barque.

THE HURE AND THE THEIF

They loed ane anither dearly,
   The hure and the theif,
And while he plied his mirry trade
   She'd lauch hersel tae sleep.

The days they spent in pleisure,
   The nichts, lay side be side.
Whan they took him awa tae the jylehoose
   She laucht frae the winnock wide.

He's written her a letter
   – My hairt, o come til me,
Withoot ye, I canna thole …
   She laucht till the tear blint her ee.

At sax i' the morn they hangit him,
   They yirdit the corp at aucht,
And as the toun bell toll'd for noon
   She drank doun the reid wine, and laucht.

THE EERANT

Mount and gang, my leal gudeman,
   And ride baith brisk and bauld,
Spur your horse ower muir and moss
   Till you win til Duncan's hauld.

Syne ye'll smool in be the stable yett
   And speir at the stable lad,
Whilk o King Duncan's twa dochters
   Is lookan tae be wad?

And gin he says "The broun-haired ane"
   Haud hame wi the word belyve,
But gin he says "The gowd-haired ane"
   Ye needna step sae swythe,

But send tae the chiel that twines the tow
   For a hantle o hemp sae thrawn,
And hooly ride, and silent bide
   And gie't intil my haun.

THE SEELY RADE

Amang the munelicht wuids yestreen
  I saw the Seely Folk ride;
I heard the souch o hemlock reeds
  And the schill o airel pipes.

Ilk o thir snawy steeds was graitht
  Wi antlers o gowd sae rare
And swift they gaed— lik ony flocht
  O swans they trod the air.

The Queen o Elfin's beckit tae me,
  Smilan as she passed by–
Was it to hansel my new luve,
  Or was it bodin fey?

ADAM THE FERST

Ye pit the halie polis ontae me
    Wi's lowan swerd,
Erse-an-collared me frae Paradise—
    It wisnae fair!

Nou me and the wife maun tak the gate
    For fremmit lands.
But I pree'd the frute, I ken whit I ken.
    Ye canna cheynge that.

Ye canna cheynge that I've seen throu Ye:
    Ye're a nyaff, a naethin
Ahint aa the blaw an bluster,
    Thunner an daith.

Dear God! Hou pathetic this
    Consileum abeundi!
A braw magnificus o the warld,
    This lumen mundi!

As for your Paradise gairden–
    I'll never miss it
Some Paradise yon, wi its notices:
    'Tree o Knowledge. Keep aff.'

I maun hae, full and entire
    My richts o libertie—
Ony less, and Paradise is
    A Hell, a jyle tae me.

THE GANGREL ROTTANS

Nou, Rottankind comprises twa species,
Tae wit, the Tuim-Wames and the McCreishies.
McCreishies bide bienlie in hous and haa
But the Tuim-Wames are gangrels aa.

Mony's the lang mile in their stravaig
They traivel withoot breather or break.
Haud forrit! is aye their cry
Through fair day or foul day, weet or dry.

The tapmaist bens they sclim ower,
The deepmaist seas they swim ower,
Some droun, some faa doun, brak their heid—
The leevin press on, leave the deid.

The coupons yon rampan rabble hae
Wad fleg a troop o cavalry,
Skinheids they are, wi unco snouts
Black-nebbit— and Black Nebs tae boot.

The leftie atheistic scum
Ken less o God than kingdom come,
Their brats sained-na in Christentie,
Their wemen aabody's propertie.

Their god's their guts, and aa their piety
Tae gormandize an scorn sobriety.
Tae immortal sauls they pey muckle heed:
'Get it doun ye— ye're a lang time deid.'

Sae boldint yon rottan clan nou graws
They dreid-na Hell (nor Baudrons' claws);
Haudan til neither gowd nor gear,
They'd divvy the haill warld up, nae fear!

Wae's me for the radical rats!
They're outby the city gates.
Listen! I hear the trek-trek-trek o them
Mairchan— and there's an unco feck o them.

Mercie! The baa's on the slates.
They're through the city gates.
The Provost an Cooncil, aa asteer,
Are shiten themsels, blae-faced wi fear.

The honest burghers, up in airms,
Sound-aff rhetorical alairms:
"Our very way of life, our liberty
Threatened blah blah..." (The pith o't: PROPERTIE.)

But nae saul-searchan sermon, audit, or
Strang-wordit letter til the editor,
Nae special task force, nae SAS,
Can bail ye oot, bairns, frae this bonnie mess;

Nae slee soundbites, cantrips o spin,
Nae in-depth analysis on News at Ten—
Ye canna snarl rottans wi sophistry,
They lowp clean ower syllogies.

For tuim wames, aa discourse worth haen
Is broth-logic, grundit in a hambane,
And aa the argiments that matter
Come bylt, bakit, or deep fried in batter,

And a pudden supper, sauted weil, is
Mair to yon bunch o bolshie keelies
Nor aa the speil o Mirabeau
Or oratrie sen Cicero.

GLOSSARY

airel *flute, wind instrument*
anerlie *onely*
attower *above, over, beyond*

Baudrons *domestic cat*
bauld *bold(ly)*
beckit *bowed, nodded*
belyve *at once*
bienlie *comfortably*
black-neb *radical*
blint *blinded*
boldint *emboldened*
brennan *burning*
bylt *boiled*

caa *call or drive*
caller *cool, fresh*
cantrip *trick, spell*
cheynge *change*
coronach *lament*

dern *hidden*
doucelik *respectable*
dowf *dreary, sad*
dwauman *swooning; dreaming*
dwyne *decline, fade*

eerant *errand*

fey *doom, fate*

fleg *put to flight*
flocht *flight*
forouten *without*
fremmit *foreign*

gantit *yawned*
gangrel *vagabond*
glentan *glinting*
graifan-stede *cemetary*
grienan *longing, yearning*
grietan *weeping*
grundit *grounded*

haar *freezing mist, sea fog*
hansel *offer a good-luck gift*
hantle *substantial amount*
haps *wraps, surrounds*
hauld *stronghold, castle*
hooly *slowly and gently*

inben *within*

langsum *tedious*
leal *honest, faithful*
lichtlie *slight, scorn*
liggs *lies*
lowan *flaming*

mane *moan, complaint*
McCreishies *'Sons of Fat'*
mensefu *good mannered*

murners	*mourners*	smert	*pain*
		smool	*steal*
norlan	*northern*	speir (at)	*ask*
		stervit	*starved*
pree'd	*tasted, experienced*	stour	*combat*
		stravaig	*wander(ing)*
quait	*quiet*	swerd	*sword*
		swythe	*urgently*
rade	*ride, foray*		
reiver	*robber*	thole	*suffer*
rottans	*rats*	thrawn	*twisted, stubborn*
		thunner	*thunder*
sair	*suffering*	tow	*rope*
sax	*six*	trowless	*false*
scaur	*precipice*	Tuim-Wames	*'Empty Bellies'*
schill	*shrill*	twa-thrie	*several*
sclim	*scramble*		
seely	*blessed, happy*	unco	*strange*
Seely Folk	*the fairies*		
selkie	*seal, mythical*	winnock	*window*
seal-person			
shilpit	*shrunken, drawn*	yestreen	*last night*
skaith	*injury*	yett	*gate*
siller	*money (silver)*	yirdin	*funeral*
slee	*cunning, sly*		